俄罗斯聪明玛莎出版社
北京开心球动漫技术有限公司

扔掉旧雨伞

赵力 译

过去的经历很宝贵，但未来会有更美好的东西等着我们。

中国人民大学出版社
·北京·

人物介绍

兔小跳

喜欢运动和探险，爱吃胡萝卜

一只淘气、多嘴的兔子。活泼好动，充满活力，是个乐天派，和猬小弟是最好的朋友。

猬小弟

喜欢收藏各种东西，喜欢看书

善良、有礼貌、乐于助人、有一点点害羞。这只小刺猬总是不慌不忙，外表很温柔，内心很勇敢。

朱小美

爱漂亮，喜欢幻想，喜欢收礼物

可爱迷人的女孩，爱吃甜食，微胖界美女。经常鼓舞其他开心球去完成重要的事情，喜欢得到赞美。

羊诗弟

喜欢文学、诗歌和艺术

非常敏感、容易受伤，开心球中的著名诗人。一直在寻找灵感，散发着忧郁而浪漫的诗人气息。

鹿教授

热爱科学、读书和美食

很有才华的科学家，生活中有点儿笨手笨脚。对待任何问题，他都会在自己的藏书中寻找科学的答案。

巧老师

喜欢烹饪，关心大家的健康

乐于助人、充满爱心的奶奶。随时带着医药箱，经常给别人看病，倡导健康的生活方式，严厉但很公平。

大嘴叔

喜欢旅行，热爱戏剧和音乐

年长的绅士，伟大的旅行家。是个讲故事的能手，有艺术家气质，有一点儿爱吹牛。

农夫熊

喜欢种植，爱吃蜂蜜

温顺憨厚，不善言谈，整天都在地里干农活：耕地、除草、灭虫……他种的蔬菜长得非常快！

平博士

热爱发明，擅长机械，敢于冒险

自学成才的发明家，能将一堆金属碎片变成神奇的机器。喜欢开飞机，经常冒出奇怪的想法。

小贝

聪明绝顶，喜欢探索太空

平博士创造出来的机器人，拥有超强的学习能力，不会说话，但可以发出电脑声波传达信息。

在我们的生活中，有很多东西是很难舍弃的，就算已经变得很旧，你仍然舍不得扔掉它们。因为习惯——你已经习惯了它们，没有它们怎么都不行。

羊诗弟就有这样的一把旧雨伞，他们一起经历了很多故事。从雨伞上的补丁就可以看出他们一起冒过多少次险。但是雨伞已经磨损，开始漏雨。如果雨伞漏雨——那还是雨伞吗？那就是该扔的东西！应该放到垃圾桶去！但是羊诗弟怎么可能把老朋友扔到垃圾桶呢！

那年夏天实在是热得可怕。所有人都坐在凉快的地方，变得懒惰起来。

当从地里挖出最后一根胡萝卜的时候，兔小跳再也忍受不了了。开心球们在困境中也不能放弃，是时候行动起来了！猬小弟带来了花园里的软管，和兔小跳一起去拯救环境。

他们决定先给干涸的草地浇点儿水。但是软管似乎不那么好用，朋友们好不容易才从软管里挤出一滴水来，但是这远远不够。

“水去哪儿啦？”兔小跳紧张地问。

“可能是已经用光了……”猬小弟迟疑地答道。

去找水的路上，兔小跳看见了撑着雨伞的羊诗弟，

他很严肃地问：“羊诗弟！你为什么带伞？天上一丝乌云都没有啊！”

诗人停了下来，拿着伞，抬头看看天空。

“雨伞对于我来说，不是用来挡雨的。”羊诗弟严肃地说。

就在兔小跳要问诗人雨伞是用来做什么的时候，软管里突然有水喷涌而出。强大的水压使软管改变了方向，把兔小跳缠了好几圈后，水柱正对着羊诗弟喷了过去。

羊诗弟被强劲的水柱猛地冲到了草坪的边缘。他下意识地撑开了雨伞挡住水流，就像举起了盾牌一样。雨伞上不同颜色的补丁没能顶住水压，一片片地掉落了，诗人还是被迫洗了一个彻底的淋浴。

羊诗弟跌坐在水坑里，呆呆地透过伞上面的破洞看着对面。他从水坑里抓起一块补丁，试着把它安置在原来的地方，但是怎么也粘不上。

这时候他才意识到刚才发生的事情有多可怕——水冲掉了补丁，也就是把他跟雨伞一起经历的所有故事都冲刷掉了。

“我需要这把雨伞……”羊诗弟坐在水坑里喃喃说道。

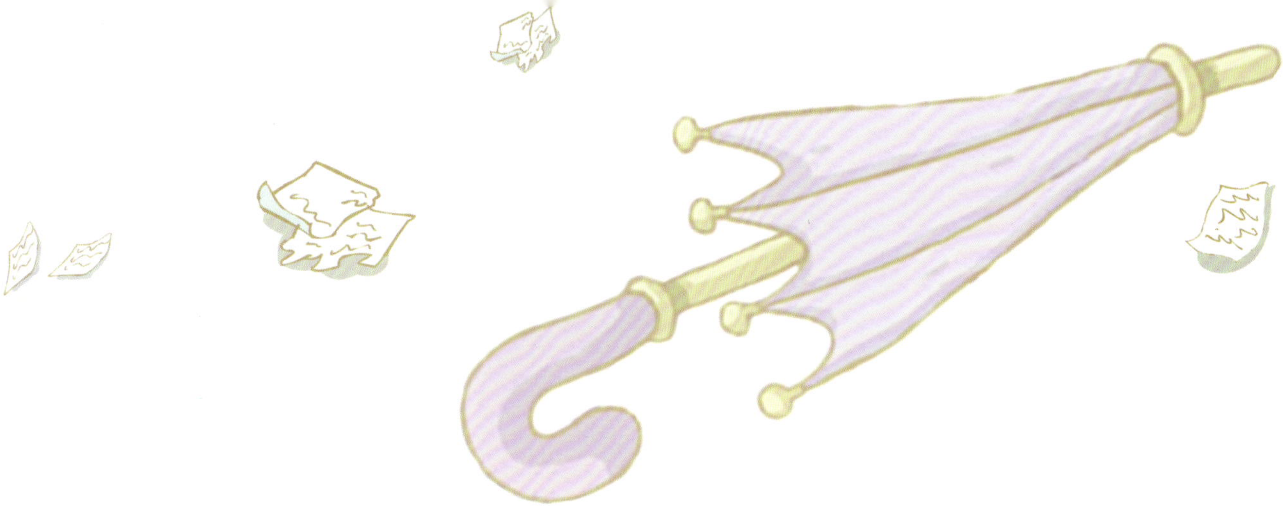

一到家，羊诗弟迅速坐下来修补他受伤的老朋友。他把大嘴叔的一块旧手帕剪成四十个小块，又找到很久很久以前猬小弟送给他的针，然后开始工作。

补丁打得很慢，但是他受伤的朋友总算快要康复了。这时门开了，兔小跳和猬小弟神神秘秘地出现在了门口。

兔小跳冲着猬小弟眨眨眼睛，从背后拿出了一把伞——一把没有破洞的、漂亮的新伞！

把新雨伞送给羊诗弟后，兔小跳和猬小弟一起欢快地去玩水。今天做的好事已经够多了，所以给草地浇水的事就拖到明天再说吧。突然，兔小跳惊讶地望着前方。猬小弟奇怪地转身一看，原来是羊诗弟，他身边竟然还是那把傻傻的旧伞。

“难道你们以为我会扔掉自己的一部分经历吗？”羊诗弟大声地说。

这时隆隆的雷声响了起来，闷热过后总会有一场雷雨。又不知道从哪儿吹过来一阵大风，真正的暴风雨来了。羊诗弟赌气地撑开了伞，伞顿时变成了一张帆，带着诗人在地面上翻起了跟头。

羊诗弟紧紧抓着伞，身上沾满了脏泥巴。风嘶吼着，伞被吹得越来越高，拖着羊诗弟一起升到了空中。

“扔掉雨伞！”兔小跳焦急地喊着。

“绝不！”半空中传来顽固而虚弱的声音。

这时，兔小跳蹦起来抓到了羊诗弟的脚。猬小弟更是不会丢下朋友不管，他紧紧抓着兔小跳的脚——几秒钟后，他们都被风带到了空中，飘荡着。

“请放开我！”羊诗弟劝说着朋友们，“自己逃生去吧！”

“如果你连这把旧伞都不舍得扔掉，我们又怎么舍得抛弃你这个老朋友呢？”飘荡在风中的兔小跳回答说。

“毕竟你也是我们生命中的一部分。”猬小弟喊叫着，手抓得更紧了。

他们飘到了大海的上空。

他们脚下，狂风肆虐，海水怒号，仿佛每一分钟都在准备吞噬他们。

雨伞带着他们飘得越来越远。伞上的补丁一块接一块地飞起来了，然后落入大海。猬小弟差一点儿就要掉到海里了。这时需要马上做出决定。

羊诗弟低头看看无边无际的大海，然后又哀怨地向上看了看。“请原谅我，我的老朋友，如果我不这么做的话，我们的生命就走到尽头了。

羊诗弟心想，失去朋友是绝对不行的。他最后看了一眼雨伞，松开了手，他和猬小弟、兔小跳一起向下坠落。

幸运的是，他们没有被淹没。大海展示了相当友好的一面——海面上正好飘来一个能坐三个人的救命原木。第一个爬到木头上的是兔小跳，之后是猬小弟，然后他们一起把还在努力克制悲痛的羊诗弟从水里拉上来。羊诗弟从朋友身边爬开，坐在原木最边缘的地方，他的眼睛里充满了忧伤。

羊诗弟还沉浸在痛苦里，兔小跳和猬小弟只能使劲地划着原木靠向岸边。

经过这场惊心动魄的历险后，好不容易爬上岸的朋友们满身疲惫地回家了。或许他们需要好好地睡一觉。

第二天，兔小跳早早地醒来。门前的草坪在雨后变成了一片沼泽。

兔小跳明白了，他需要找水泵抽干净眼前这些水。这时，猬小弟也睡眼惺忪地走过来，帮兔小跳一起干起活来。

水泵却也像昨天的水管一样不想好好工作。兔小跳想，“昨天的噩梦不会又重演吧？”这时他眼前出现了一片阴影，兔小跳一惊：“难道风暴又来了？”但他抬起眼睛看到的是微笑的羊诗弟，他手里拿着那把新雨伞。

“知道吗，我正在努力地适应它。我觉得，我和这把新雨伞会经历更多新的、有趣的故事。”

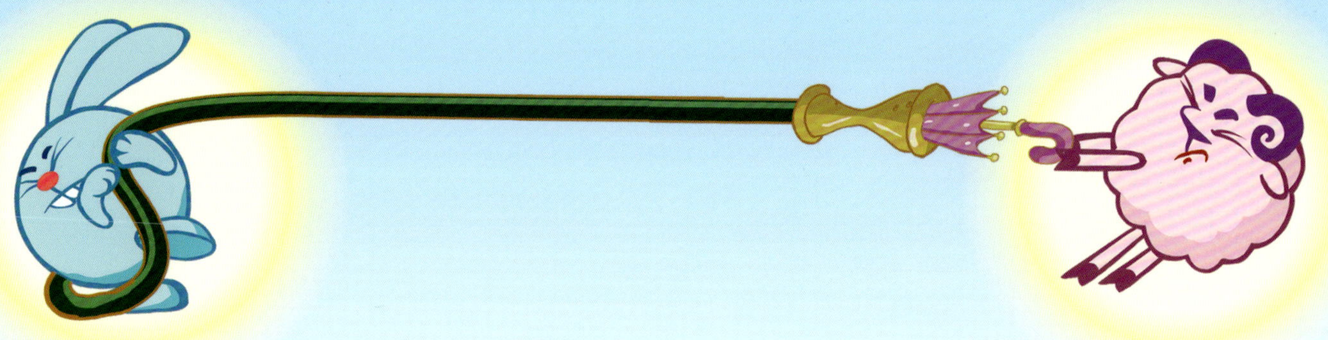

这时，水泵的软管突然间弹起来，管口吸住了伞，伞尖冲着兔小跳戳过去。羊诗弟习惯性地想要保护自己的朋友，用尽所有的力气把伞往自己的方向拽。只听“扑哧”一声，伞拽出来了，但随之出现的是伞上的两个新窟窿。

“这就是你的第一个故事！”羊诗弟对着雨伞说，然后他就急忙赶回家去给新伞打补丁了。

新的故事又上演了，新雨伞的传记开始了……

开心球词典

传记：就是讲述你自己的生活中曾经发生的故事。你发生的故事越多，你的传记越有趣。比如，去年夏天，你去旅游的时候发现了一个秘密；昨天晚上和朋友们吃了非常美味的蛋糕等等。蛋糕、秘密、好朋友就成为你传记的一部分。

风暴：非常大的风。风暴喜欢发怒：嘶吼掀翻房顶，折断大树，让大海起巨浪。通常，风暴会袭击人类，使人受伤。

炎热：很高的气温。因为太阳的烘烤，空气变热，到处都是热浪。因为热，所有的人和动物都想藏在阴影里。炎热会使人变得非常容易口渴。

补丁： 缝或者粘在破洞上的一小块布，为的是破洞不向四周继续扩散开。如果衣兜有洞，糖块可能会掉出去。如果打补丁打得非常好，基本上看不出来。当然，也可以用漂亮的装饰来作为补丁，比如做成蝴蝶样子的补丁。

泵： 用来抽水或者空气的设备。自行车打气筒可以把外面的空气抽到轮子里，使轮子鼓起来，因此也可以算做泵。消防泵则是把水从罐子里抽出，用于灭火。泵的软管必须接好封严，空气才不会跑掉。

价值： 你觉得重要和值得珍惜的东西，东西本身的价格可能很贵也可能一文不值。但无论怎样，对你来讲都是重要的，因为你非常需要它。比如——朋友，你非常需要朋友，对你来说，友情很有价值，你很珍惜并且害怕失去。

手工制作：

1. 打补丁是一件很严肃的事情。带着爱小心地把补丁放到需要的地方，这是一门学问。

2. 对打补丁来说最主要的就是洞，一开始需要找洞，找到需要打补丁的地方。

3. 现在需要选择一块布做补丁

> 补丁的选择原则有两种：要么看不出来，要么非常明显。

> 补丁的布要比洞大，否则补丁可能陷入洞里。

4. 看不出来的补丁就是不仔细查找的话，根本就看不见。

羊诗弟的补丁

5. 最巧妙的一次打补丁，就是羊诗弟去找朱小美送花那次。他摔跤了，伞也破了，羊诗弟就在伞上打了个花形的补丁。
6. 先把补丁从一块布上面剪下来，然后用针和线就可以开始缝了。

> ! 注意在缝之前别忘了给线的末端打个结，这样线才能固定在布上。

7. 图7-10所示是如何正确地缝补丁。如果所有的步骤都做正确，又结实又漂亮的补丁就做成了。

图书在版编目（CIP）数据

扔掉旧雨伞/俄罗斯聪明玛莎出版社，北京开心球动漫技术有限公司编著；赵力译. —北京：中国人民大学出版社，2015.1

（开心球）

ISBN 978-7-300-20620-2

Ⅰ. ①扔… Ⅱ. ①俄… ②北… ③赵… Ⅲ. ①儿童文学－图画故事－俄罗斯－现代 Ⅳ. ①I512.85

中国版本图书馆CIP数据核字（2014）第313222号

俄罗斯原版图书由A.马利根诺娃，I.波波夫，A.普罗霍罗，S.沙伊西努洛夫，I.舍甫丘克等编创。

绿色印刷　保护环境　爱护健康

亲爱的读者朋友：

本书已入选“北京市绿色印刷工程——优秀出版物绿色印刷示范项目”。它采用绿色印刷标准印制，在封底印有“绿色印刷产品”标志。

按照国家环境标准（HJ2503-2011）《环境标志产品技术要求 印刷 第一部分：平版印刷》，本书选用环保型纸张、油墨、胶水等原辅材料，生产过程注重节能减排，印刷产品符合人体健康要求。

选择绿色印刷图书，畅享环保健康阅读！

北京市绿色印刷工程

开心球

扔掉旧雨伞

俄罗斯聪明玛莎出版社　北京开心球动漫技术有限公司　编著

赵 力　译

Rengdiao Jiuyusan

出版发行	中国人民大学出版社		
社　　址	北京中关村大街31号	**邮政编码**	100080
电　　话	010－62511242（总编室）		010－62511770（质管部）
	010－82501766（邮购部）		010－62514148（门市部）
	010－62515195（发行公司）		010－62515275（盗版举报）
网　　址	http://www.crup.com.cn		
	http://www.ttrent.com（人大教研网）		
经　　销	新华书店		
印　　刷	北京尚唐印刷包装有限公司		
规　　格	210mm×236mm　16开本	**版　　次**	2015年3月第1版
印　　张	2　插1	**印　　次**	2015年3月第1次印刷
字　　数	5 000	**定　　价**	15.00元